Chapter Quizzes
with Answer Key

GLENCOE FRENCH 2

À bord

Chapter Quizzes
with Answer Key

GLENCOE

Macmillan/McGraw-Hill

New York, New York   Columbus, Ohio   Mission Hills, California   Peoria, Illinois

Printed in the United States of America.

Send all inquiries to:
Glencoe/McGraw-Hill
15319 Chatsworth Street
P.O. Box 9609
Mission Hills, CA 91346-9609

ISBN 0-02-636599-5

1 2 3 4 5 6 7 8 9   BAW   99 98 97 96 95 94

CHAPTER QUIZZES

TABLE DES MATIÈRES

CHAPITRE

{ 1 } QUIZ A

VOCABULAIRE

Mots 1

A Identify each item below. (5 pts.)

1. _____

2. _____

3. _____

4. _____

5. _____

B Identify the following people or things. (10 pts.)

1. Cette personne distribue le courrier. _____

2. Cette personne vend des timbres. _____

3. C'est une lettre spéciale sans enveloppe. Il est bleu. _____

4. Quand on l'ouvre, on trouve une lettre à l'intérieur. _____

5. C'est une photo touristique qu'on envoie avec un message. _____

CHAPITRE

〉1〉 QUIZ B

VOCABULAIRE

Mots 2

A Identify each of the numbered items, using the words from the following list. (5 pts.)

le code postal   le destinataire   le numéro   la rue   la ville

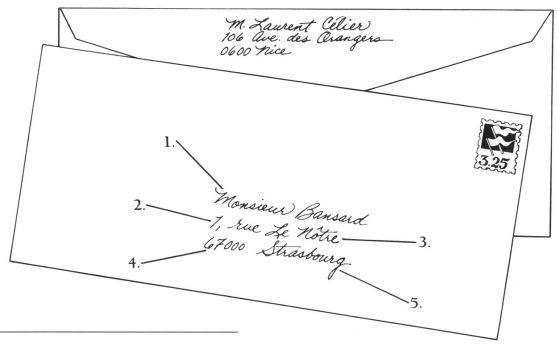

1. _____

2. _____

3. _____

4. _____

5. _____

B Match each item in the left-hand column with the item from the right-hand column that is most closely associated with it. (5 pts.)

1. _____ la valeur   **a.** envoyer

2. _____ le poids   **b.** un paquet

3. _____ un colis   **c.** peser

4. _____ la balance   **d.** 500 francs

5. _____ par avion   **e.** 3 kilos

CHAPITRE

) 1) QUIZ A

STRUCTURE

Les pronoms relatifs qui *et* que

A Complete each sentence with *qui* or *que*. (5 pts.)

1. La personne _____ pèse les colis est l'employé des postes.

2. La lettre _____ Jacques m'a envoyée est sur la table.

3. Mon oncle _____ habite à Paris est facteur.

4. J'ai écrit la carte postale _____ vous avez mise à la poste.

5. Voilà Monsieur Brun, le professeur _____ nous donne beaucoup de devoirs.

B Combine each pair of sentences below into one sentence, using *qui* or *que* as appropriate. Follow the model. (5 pts.)

J'ai acheté la carte postale. Delphine envoie la carte postale.
J'ai acheté la carte postale que Delphine envoie.

1. Je lis les aérogrammes. Michel écrit les aérogrammes.

   _____

2. J'ai acheté des timbres. Ils sont très beaux.

   _____

3. Martine envoie un paquet. Il pèse un kilo.

   _____

4. L'employé me donne les timbres. Je choisis les timbres.

   _____

5. J'entends le vélomoteur. Le facteur conduit le vélomoteur.

   _____

CHAPITRE

} 1 } QUIZ B

STRUCTURE

L'accord du participe passé

Complete each sentence below by adding an ending to the past participle when necessary. Leave a blank if no ending is required. (5 pts.)

1. J'ai écrit une carte postale. Je l'ai mis_____ à la poste hier.

2. As-tu reçu_____ la lettre de Pierre?

3. J'ai mis les timbres que j'ai acheté_____ sur la table.

4. Voilà le courrier que le facteur a distribué_____.

5. Marie a acheté trois cartes postales. Elle les a acheté_____ ce matin.

CHAPITRE
} 1 } QUIZ C
STRUCTURE

Les changements d'orthographe avec les verbes comme envoyer, employer *et* payer

A Complete each sentence with the correct present-tense form of *employer, envoyer,* or *payer.* (12 pts.)

1. Martin _____ une carte postale à son amie.

2. Nous _____ plus cher pour envoyer une lettre par avion.

3. Elles _____ un colis en Afrique.

4. Est-ce que tu _____ un stylo ou un crayon quand tu écris?

5. Quand je suis en vacances, j'_____ toujours des lettres à mes amis.

6. Quand vous n'_____ pas le code postal, votre lettre arrive très en retard.

7. Philippe achète des timbres au guichet. Il _____ par chèque.

8. Au magasin vous _____ à la caisse.

B Decide whether each of the statements below is logical or not and check the appropriate column. (4 pts.)

	logique	pas logique
1. Le facteur envoie le courrier.	____	____
2. Quand on envoie un paquet on paie selon le poids.	____	____
3. L'employé des postes emploie la balance pour peser les colis.	____	____
4. On envoie une lettre à l'expéditeur.	____	____

CHAPITRE

} 2 } QUIZ A

VOCABULAIRE

Mots 1

A Match each item in the left-hand column with the item from the right-hand column that is most closely associated with it. (5 pts.)

1. _____ un magnétophone   **a.** une cassette

2. _____ un poste de télévision   **b.** une vidéocassette

3. _____ un magnétoscope   **c.** un répondeur automatique

4. _____ un téléphone   **d.** un robinet

5. _____ un évier   **e.** un zappeur

B Complete each sentence below with the appropriate word(s). (10 pts.)

1. Il a mis _____ avant le dîner.

2. Il s'est mis _____.

3. Il a débarrassé _____.

4. Il a rincé la vaisselle dans _____.

5. Il a mis la vaisselle dans _____.

CHAPITRE
} 2 } QUIZ B

VOCABULAIRE

Mots 2

A Complete each sentence below with the appropriate word(s) from the list. (5 pts.)

| bureau | contremaître | jouets | ouvriers | usine |

1. On fabrique des voitures dans une _____.

2. Un _____ est responsable du travail de ses _____.

3. Les enfants adorent jouer avec les _____.

4. Généralement, dans un _____ on trouve un ordinateur et un téléphone.

B Number Colette's actions from 1 to 5 to show the order in which they would have logically occurred. (5 pts.)

_____ Elle s'est levée.

_____ Elle a couru à l'école.

_____ Elle s'est réveillée.

_____ Elle s'est habillée.

_____ Elle s'est lavée.

CHAPITRE

} 2 } QUIZ A

STRUCTURE

Le verbe s'asseoir

■ Complete each sentence below with the correct present-tense form of *s'asseoir*. (5 pts.)

1. En classe, je _____ à côté de Jessica.

2. Jacques _____ derrière Philippe.

3. Monique et Michelle _____ près du professeur.

4. Mes amis et moi, nous _____ au dernier rang.

5. Vous _____ au même rang.

CHAPITRE

} 2 } QUIZ B

STRUCTURE

Les actions réciproques au présent

Combine each pair of sentences below into one sentence. Follow the model. (5 pts.)

Angèle voit Julie souvent. Julie voit Angèle souvent.
Angèle et Julie se voient souvent.

1. Juliette aime Roméo. Roméo aime Juliette.

   _____

2. L'ouvrière parle à la contremaîtresse. La contremaîtresse parle à l'ouvrière.

   _____

3. Ton ami t'écrit. Tu écris à ton ami.

   _____

4. Je te téléphone. Tu me téléphones.

   _____

5. Je t'adore. Et tu m'adores.

   _____

CHAPITRE
} 2 } QUIZ C
STRUCTURE

Le passé composé des verbes réfléchis

▮ Rewrite the sentences below in the *passé composé*. (20 pts.)

1. Nous nous réveillons à six heures.

   Hier _____.

2. Nous ne nous levons pas tard.

   Hier _____.

3. Marie se dépêche.

   Hier _____.

4. Elle ne se met pas à table.

   Hier _____.

5. Jacques et Henri se peignent.

   Hier _____.

6. Ils ne se rasent pas.

   Hier _____.

7. Je m'amuse à la fête.

   Hier _____.

8. Elles ne se couchent pas tôt.

   Hier _____.

9. Tu te maquilles dans ta chambre.

   Hier _____.

10. Vous vous levez avant six heures.

    Hier _____.

CHAPITRE

》2》 QUIZ D

STRUCTURE

Les actions réciproques au passé

▇ Complete the following paragraph with the correct form of the *passé composé* of the verbs in parentheses. (10 pts.)

Georges et Yolande _____ (se voir) hier au cinéma.
                              1

Pendant le week-end ils _____ (se parler) au téléphone.
                                  2

Au téléphone ils _____ (s'écouter) attentivement.
                        3

Après, ils _____ (s'écrire) des lettres d'amour. Lundi,
                  4

ils sont allés en classe, mais ils n'ont pas regardé le professeur. Georges et Yolande

_____ (se regarder).
          5

CHAPITRE

} 2 } QUIZ E

STRUCTURE

Expressions négatives au passé composé

For each question below, write the answer using *ne... pas, ne... rien, ne... plus, ne... jamais,* or *ne... personne* as appropriate. Use each expression only once. (10 pts.)

1. Quand est-ce que tu as visité l'Afrique?

   _____

2. Qu'est-ce que tu as acheté au magasin?

   _____

3. Qui as-tu vu hier?

   _____

4. Est-ce que tu as encore fait du ski après ton accident?

   _____

5. Est-ce que tu as parlé au professeur en classe?

   _____

CHAPITRE

} 3 } QUIZ A

VOCABULAIRE

Mots 1

A Identify each item below. (4 pts.)

1. _____

2. _____

3. _____

4. _____

5. _____

B Complete the paragraph below with the appropriate words from the following list. (8 pts.)

attends la tonalité	**fil**
cabine téléphonique	**raccroche**
compose le numéro	**sonne occupé**
décroche	**télécarte**

Je vais donner un coup de _____ à mon

copain. Dans la _____, je me sers de ma

_____. D'abord, je _____ et

j'_____. Puis, je _____. Mais

ça _____. Alors je _____.

CHAPITRE

} 3 } QUIZ B

VOCABULAIRE

Mots 2

■ Choose the best completion for each sentence. (10 pts.)

1. Quand j'étais jeune, pour se servir du téléphone public on devait mettre

    _____ dans la fente. (un annuaire / un jeton)

2. C'est de _____ de qui, s'il vous plaît? (la part / l'erreur)

3. Je _____ mais c'est une erreur. (regrette / raccroche)

4. Écoutez! Le téléphone _____! (quitte / sonne)

5. Un moment. Ne _____ pas. (décrochez / quittez)

6. Je suis _____. Elle n'est pas là. (décroché / désolé)

7. Je peux lui _____ un message? (laisser / soulever)

8. _____, Madame Langlois? (Bonjour / Allô)

9. C'est une erreur. Vous n'avez pas le _____ numéro.
    (mauvais / bon)

10. _____ parler à Guy Desmoulins, s'il vous plaît?
    (Pourrais-je / Pouvez-vous)

CHAPITRE
} 3 } QUIZ A

STRUCTURE

L'imparfait

◼ Complete each sentence with the correct form of the imperfect of the verb in parentheses. (10 pts.)

1. Monique _____ toujours à sa mère. (obéir)

2. J'_____ souvent à la plage. (aller)

3. Nous _____ beaucoup de livres tous les étés. (lire)

4. Marc _____ à son ami Michelle. (téléphoner)

5. Tu _____ de la viande régulièrement. (manger)

6. Les élèves _____ le professeur tous les jours à neuf heures. (attendre)

7. Vous _____ très content. (être)

8. Pendant les vacances, nous _____ du sport. (faire)

9. J'_____ une jolie bicyclette. (avoir)

10. Les jeunes filles _____ à l'école. (s'amuser)

CHAPITRE

} 3 } QUIZ B

STRUCTURE

Les emplois de l'imparfait

◼ Complete the following paragraph with the correct form of the imperfect of the verbs in parentheses. (10 pts.)

L'ouvrier _____ (sortir) toujours de l'usine
⟨1⟩

après ses camarades. Il _____ (avoir) quarante
⟨2⟩

ans et il _____ (être) petit et blond. Ce jour-là il
⟨3⟩

_____ (être) sept heures du soir quand il a fini de
⟨4⟩

travailler, alors l'homme _____ (être) très fatigué et il
⟨5⟩

_____ (vouloir) rentrer chez lui le plus vite possible.
⟨6⟩

L'ouvrier _____ (rentrer) souvent tard. Il
⟨7⟩

_____ (faire) très froid ce soir-là. L'homme
⟨8⟩

_____ (penser) à sa femme et ses enfants qui
⟨9⟩

l'_____ (attendre) chez lui.
⟨10⟩

CHAPITRE

3 QUIZ C

STRUCTURE

L'infinitif des verbes réfléchis

Rewrite the sentences below using the verb in parentheses. Follow the model. (10 pts.)

Je me lève tôt. (préférer)
Je préfère me lever tôt.

1. Nous nous parlons au téléphone. (aimer)

   _____

2. Je me réveille à sept heures. (vouloir)

   _____

3. Yves se brosse les dents. (aller)

   _____

4. Ces petits garçons se lavent. (détester)

   _____

5. Vous vous habillez rapidement. (aller)

   _____

CHAPITRE

} 4 } QUIZ A

VOCABULAIRE

Mots 1

A Complete each sentence below with the appropriate word(s) from the list. (5 pts.)

grave   voiture-restaurant
poinçonne   voiture gril-express
tablette rabattable

1. Dans une _____ on s'assied pour
   prendre un repas.

2. Dans une _____ on peut acheter un
   sandwich ou un croque-monsieur et manger debout.

3. Si on veut rester à sa place dans le TGV, on peut mettre son sandwich sur la

   _____ pendant qu'on le mange.

4. On donne son billet au contrôleur. Il le vérifie et il le _____.

5. Une erreur sérieuse est une erreur _____.

B Match each item in the left-hand column with its opposite in the right-hand column.
(5 pts.)

1. _____ debout   **a.** l'arrivée

2. _____ le contrôleur   **b.** assis

3. _____ un vieux wagon à compartiments   **c.** le voyageur

4. _____ le départ   **d.** places disponibles

5. _____ compartiments complets   **e.** une nouvelle voiture à couloir central

CHAPITRE

{ 4 } QUIZ B

VOCABULAIRE

Mots 2

■ Choose the best completion for each sentence below. (10 pts.)

1. Les lignes de _____ sont les trains qui desservent les villes et villages qui se trouvent près d'une grande ville. (banlieue / correspondance)

2. Les _____ lignes sont les trains qui desservent les grandes villes de France et des autres pays d'Europe. (petites / grandes)

3. Quand on attend derrière une autre personne, on fait la _____. (place / queue)

4. Si on arrive trop en retard, on _____ le train et on doit attendre le prochain train. (rate / loue)

5. Les touristes qui voyagent en France aiment visiter les _____ de la Loire. (châteaux / fourgons)

6. Quand on change de train on prend la _____. (correspondance / banlieue)

7. On met sa valise dans le _____ à bagages. (wagon / fourgon)

8. Il y a beaucoup de voyageurs le week-end. Alors, c'est une bonne idée de

   _____ une place à l'avance. (rater / louer)

9. Pour savoir à quelle heure et où un train arrive, on regarde le _____ des arrivées. (tableau / bureau)

10. À la gare, on attend le train sur le _____. (quai / vélo)

CHAPITRE

} 4 } QUIZ A

STRUCTURE

L'imparfait et le passé composé

A Choose either the *passé composé* or the imperfect of the verb in parentheses to complete each sentence below. (10 pts.)

1. De temps en temps les garçons _____ (ont joué / jouaient) au

   football. Un jour ils _____ (ont joué / jouaient) au basket.

2. L'année dernière nous _____ (sommes allés / allions) en Suisse

   pendant les vacances, mais quand j'étais jeune nous _____
   (sommes allés / allions) fréquemment en Italie.

3. Toutes les semaines Christophe _____ (est allé / allait) au cinéma.

   Mais hier soir il _____ (est allé / allait) au théâtre.

4. Le train _____ (est parti / partait) toujours à l'heure. Ce matin il

   _____ (est parti / partait) très en retard.

5. Tous les mois j'_____ (ai écrit / écrivais) à ma grand-mère. Une fois

   je lui _____ (ai écrit / écrivais) une lettre de cinq pages!

B Complete each sentence below with the correct form of either the *passé composé* or the imperfect of the verb in parentheses, as appropriate. (10 pts.)

1. Quand elle était jeune, Noëlle _____ (se lever) à six heures.

2. Hier nous _____ (aller) à la plage.

3. Le train _____ (arriver) à neuf heures ce matin.

4. Samedi dernier je (j') _____ (visiter) un joli château.

5. La famille _____ (manger) souvent des tartines au petit déjeuner.

CHAPITRE

} 4 } QUIZ B

STRUCTURE

Deux actions au passé dans la même phrase

◼ Write sentences with the *passé composé* and the imperfect of the indicated verbs. Use each tense once in each sentence. Follow the model. (20 pts.)

Jeanne / parler avec ses amis / le professeur / entrer
Jeanne parlait avec ses amis quand le professeur est entré.

1. Je / lire un livre / Marc / arriver

   _____

   _____

2. Ma sœur / faire ses devoirs / Maman / sortir

   _____

   _____

3. Le téléphone / sonner / Papa / dormir

   _____

   _____

4. Nous / faire la queue / le train / partir

   _____

   _____

5. Janine / lire un magazine / le professeur / lui poser une question

   _____

   _____

CHAPITRE

} 4 } QUIZ C

STRUCTURE

Personne ne... *et* rien ne...

Answer the questions below in complete negative sentences, using *personne ne...* and *rien ne...* as appropriate. (10 pts)

1. Quelqu'un attendait le train?

   _____

2. Quelque chose est tombé du fourgon?

   _____

3. Qu'est-ce qui est arrivé?

   _____

4. Quelqu'un a raté le train?

   _____

5. Qu'est-ce qui se passe?

   _____

Nom _____ Date _____

Mots 1

A Identify each hairstyle below. (5 pts.)

1. Elle a _____

_____.
2. Elle a _____

_____.
3. Il a _____

_____.

4. Elle a _____

_____.
5. Il a _____

_____.

B Complete each sentence below with the appropriate word(s) from the list. (5 pts.)

bouclés   **frisés**   **mi-longs**   **mise-en-plis**   **raides**

1. Pour avoir une permanente, il faut faire une _____.

2. Après une permanente, on a les cheveux _____ ou

   _____. On n'a plus les cheveux _____.

3. Marie n'a pas les cheveux longs, et elle n'a pas les cheveux courts. Elle a les cheveux

   _____.

CHAPITRE
} 5 } QUIZ B
VOCABULAIRE

Mots 2

A For each word in the left-hand column, choose the word or expression from the right-hand column that is most closely associated with it. (5 pts.)

1. ____ un rasoir
2. ____ des rouleaux chauffants
3. ____ le mascara
4. ____ le séchoir
5. ____ des ciseaux

a. les cheveux bouclés
b. les cheveux mouillés
c. les cils
d. couper les cheveux
e. tailler les pattes

B Decide which category each of the terms below belongs to and check the appropriate heading. (10 pts.)

	produits pour les cheveux	chez le coiffeur	produits de beauté
1. un brushing	____	____	____
2. un coup de peigne	____	____	____
3. la crème pour le visage	____	____	____
4. le gel	____	____	____
5. la laque	____	____	____
6. le rouge à lèvres	____	____	____
7. une coupe au rasoir	____	____	____
8. le shampooing-crème	____	____	____
9. le talc	____	____	____
10. le vernis à ongles	____	____	____

CHAPITRE

⟩ 5 ⟩ QUIZ A

STRUCTURE

Les pronoms interrogatifs et démonstratifs

A Complete each sentence below by circling the letter of the correct form of *lequel* or *celui-là*. (5 pts.)

1. — J'ai vu un très bon film.

   — Ah, oui? _____?

   a. Lequel   **b.** Laquelle   **c.** Lesquels   **d.** Lesquelles

2. — J'ai acheté deux cassettes.

   — Ah, oui? _____?

   a. Lequel   **b.** Laquelle   **c.** Lesquels   **d.** Lesquelles

3. — Quels journaux lisez-vous?

   — _____.

   a. Celui-là   **b.** Celle-là   **c.** Ceux-là   **d.** Celles-là

4. — Quelle coiffure préfères-tu?

   — _____.

   a. Celui-là   **b.** Celle-là   **c.** Ceux-là   **d.** Celles-là

5. Quel parfum préfères-tu?

   — _____.

   a. Celui-là   **b.** Celle-là   **c.** Ceux-là   **d.** Celles-là

B Complete the sentences below with the appropriate form of *celui de, celui qui,* or *celui que*. (5 pts.)

1. — C'est ton livre?

   — Non, c'est _____ Catherine.

2. — Lequel de ces hommes est ton prof de français?

   — C'est _____ a les cheveux en brosse.

3. — Ce sont tes lettres?

   — Non, ce sont _____ ma mère.

4. Tu vois ces filles-là? _____ a les cheveux très longs est ma sœur.

5. Ma voiture? C'est _____ tu vois là-bas.

CHAPITRE

} 5 } QUIZ B

STRUCTURE

Le pluriel en -x

■ Complete the sentences below with the plural of the words in italics. (10 pts.)

1. — Tu aimes cet *animal*?

   — J'aime tous les _____.

2. — C'est ton *rouleau* chauffant?

   — Non, mes _____ chauffants sont bleus.

3. — Je cherche un *journal* allemand.

   — Madame, j'ai tous les _____ allemands.

4. — As-tu jamais visité un *château*?

   — Oui, j'ai visité deux _____ de la Loire.

5. — Zut! Il y a un *cheveu* dans ma soupe!

   — Oh là là! Ça vient peut-être du serveur. Il a les _____ très longs.

CHAPITRE

} 5 } QUIZ C

STRUCTURE

Les expressions de temps

A Make sentences using *depuis* and the elements below. (5 pts.)

1. Marie / employer du mascara / deux ans

   _____

2. Marc / avoir les cheveux en brosse / septembre

   _____

B Answer each question below with a complete sentence. (5 pts.)

1. Depuis quand faites-vous du français?

   _____

   _____

2. Depuis combien de temps habitez-vous dans la même maison ou le même appartement?

   _____

   _____

CHAPITRE

} 6 } QUIZ A

VOCABULAIRE

Mots 1

A Identify the numbered items below. (5 pts.)

1. _____

2. _____

3. _____

4. _____

5. _____

B Complete the paragraph below by choosing the correct word(s) in parentheses. (5 pts.)

Marc a eu un accident très grave. Il faisait du ski quand il _____

(a marché / est tombé). Il _____ (s'est coupé le doigt / s'est cassé la

2

jambe). On l'a transporté sur _____ (des béquilles / un brancard). À

3

l'hôpital l'infirmier l'a _____ (blessé / soigné). Après, il a dû marcher

4

avec _____ (des béquilles / un fauteuil roulant).

5

CHAPITRE

} 6 } QUIZ B

VOCABULAIRE

Mots 2

A Match each item in the left-hand column with the item in the right-hand column that is most closely associated with it. (5 pts.)

1. _____ une salle d'opération   **a.** un stylo

2. _____ une radiographie   **b.** un os

3. _____ un formulaire   **c.** une fracture compliquée

4. _____ le plâtre   **d.** une infirmière

5. _____ une piqûre   **e.** un chirurgien

B Daniel fell and hurt his leg. Number the events below from 1 to 5 to show the order in which they would have logically occurred. (5 pts.)

_____ L'anesthésiste lui a fait une anesthésie.

_____ On lui a fait une radio de l'os.

_____ Le chirurgien-orthopédiste lui a mis la jambe dans le plâtre.

_____ Le chirurgien-orthopédiste lui a dit qu'il s'est cassé la jambe.

_____ Le chirurgien-orthopédiste a remis l'os en place.

CHAPITRE

} 6 } QUIZ A

STRUCTURE

Des pronoms interrogatifs et relatifs

A Complete the questions below with either *Qu'est-ce que* or *Qu'est-ce qui*. (5 pts.)

1. _____ tu as vu au cinéma?

2. _____ est arrivé?

3. _____ t'amuse?

4. _____ Jean-Louis a fait hier?

5. _____ vous intéresse?

B Complete each sentence below with either *ce qui* or *ce que*. (5 pts.)

1. Tu sais _____ Georges a dit?

2. Il sait _____ tu as dit?

3. Je ne sais pas _____ se passe.

4. Je ne sais pas _____ Louise aime manger.

5. Tu sais _____ intéresse Valérie?

CHAPITRE

} 6 } QUIZ B

STRUCTURE

Les verbes suivre et vivre

Complete each sentence below with the correct form of either the present tense or the *passé composé* of *suivre* or *vivre*, as appropriate. (20 pts.)

1. Est-ce que vous _____ un cours de biologie maintenant?

2. Oui, et nous _____ un cours de français aussi.

3. L'année dernière nous _____ un cours d'anglais.

4. Maintenant, Colette _____ à Nice.

5. L'année dernière elle _____ à Paris.

6. L'été _____ le printemps.

7. Quand je fais la cuisine, je _____ toujours une recette (*recipe*).

8. En général, les gens qui restent en forme _____ longtemps.

9. Tu _____ bien ici.

10. Je ne prends pas de risques. Je _____ prudemment.

CHAPITRE

} 6 } QUIZ C

STRUCTURE

Les pronoms avec l'impératif

A Rewrite each command below, replacing the italicized words with the correct object pronoun. Follow the model. (10 pts.)

Écoutez *la radio*.
Écoutez-la.

1. Regardez *la télé*.

   _____

2. Ne remplissez pas *le formulaire*.

   _____

3. Téléphone *au chirurgien*.

   _____

4. Écoute *les infirmiers*.

   _____

5. Ne parlez pas *aux malades*.

   _____

B Choose the best completion for each command. (2 pts.)

1. Écoute-_____ quand je te parle! (me / moi)

2. Ne _____ téléphonez pas aujourd'hui. (me / moi)

C Write a command for the person(s) indicated in parentheses. Follow the model. (8 pts.)

(tu) venir / ici
Viens ici!

1. (tu) attendre / ta sœur _____

2. (vous) se laver / bien _____

3. (nous) s'asseoir / ici _____

4. (tu) ne pas se dépêcher _____

CHAPITRE

} 6 } QUIZ D

STRUCTURE

Mieux/Meilleur

A Using *mieux* or *meilleur*, compare the person(s) in each sentence with the person(s) in parentheses. Follow the models. (5 pts.)

Jean est bon en maths. (Luc)
Luc est meilleur en maths que Jean.

Carole fait bien la cuisine. (Laure)
Laure fait mieux la cuisine que Carole.

1. Yves joue bien au tennis. (Marie)

   _____

2. Christine est bonne en anglais. (Caroline)

   _____

3. Les garçons sont bons en biologie. (Les filles)

   _____

4. Renée chante bien. (Robert)

   _____

5. Gabrielle est bonne en informatique. (Martin)

   _____

B Complete the sentences below with the appropriate form of *le mieux* or *le meilleur.* (10 pts.)

1. Bruno est _____ en maths de toute la classe.

2. Marianne skie _____ de tous.

3. Julie est _____ en espagnol de notre lycée.

4. Luc et Annie sont _____ en physique de tous les élèves.

5. Nadine et Patrick chantent _____ de tous.

CHAPITRE
} 7 } QUIZ A
VOCABULAIRE

Mots 1

A Identify each of the numbered items. (5 pts.)

1. _____
2. _____
3. _____
4. _____
5. _____

B Indicate whether the statements below are true or false by writing *vrai* or *faux* in the blank. (5 pts.)

1. Les avions ont seulement une aile. _____

2. Pour écouter de la musique on emploie une couverture. _____

3. Dans la cabine il y a trois classes: première, affaires et économique. _____

4. On sert la collation ou le repas sur un plateau. _____

5. Pendant le vol, les passagers peuvent entrer dans le poste de pilotage. _____

CHAPITRE

} 7 } QUIZ B

VOCABULAIRE

Mots 2

■ Complete the paragraph below with the appropriate word(s) from the following list. (10 pts.)

aérogare	**débarquer**	**prend**
annulé	**embarquer**	**récupère**
autocar	**escale**	**tapis roulant**
chariot à bagages		

Maxime fait un voyage de Paris à Rome. Il va _____ à Paris et

_____ à Rome. D'abord il téléphone à l'aéroport. Tout va bien: le vol

n'a pas été _____. Alors Maxime _____

un taxi pour aller de son appartement à l'_____ des Invalides,

puis il prend l'_____ pour aller à l'aéroport Charles-de-Gaulle.

L'avion ne s'arrête pas; c'est un vol sans _____. À l'aéroport de

Rome Maxime _____ ses bagages: il trouve ses bagages sur le

_____. Il met ses bagages sur un _____

et il sort de l'aéroport.

CHAPITRE

} 7 } QUIZ A

STRUCTURE

Le futur des verbes réguliers

■ Complete each sentence below with the correct future-tense form of the verb in parentheses. (10 pts.)

1. Virginie _____ (passer) ses vacances à Fort-de-France.

2. J'_____ (attendre) le taxi devant l'aérogare.

3. L'avion _____ (atterrir) à l'heure.

4. Je _____ (réussir) à l'examen la semaine prochaine.

5. Tu _____ (répondre) au téléphone.

6. Est-ce que tu _____ (travailler) cet été?

7. Nous _____ (finir) nos devoirs demain.

8. Les passagers _____ (regarder) un film pendant le vol.

9. Est-ce que vous me _____ (vendre) votre voiture?

10. Dans l'avion, les filles _____ (demander) des écouteurs.

CHAPITRE
} 7 } QUIZ B
STRUCTURE

Les verbes être, faire et aller au futur

■ Complete each sentence below with the correct future-tense form of *aller, être,* or *faire,* as appropriate. (20 pts.)

1. Laurent _____ ses valises avant de partir en voyage.

2. Je _____ content(e) de rentrer chez moi.

3. Tu _____ faire les courses au marché cet après-midi?

4. Raoul et Luc _____ à l'école en voiture.

5. Est-ce que tu _____ à l'heure demain?

6. Si vous ne vous couchez pas tôt, vous _____ fatigués demain.

7. L'année prochaine Hélène et sa sœur _____ du français au lycée.

8. Nous ne _____ pas en retard.

9. Cet été je _____ de la plongée sous-marine à la Martinique.

10. Lisette _____ à la plage en voiture demain.

CHAPITRE

} 7 } QUIZ C

STRUCTURE

Deux pronoms dans la même phrase

Answer the questions below, replacing the noun in italics with an appropriate pronoun. Follow the model. (10 pts.)

Est-ce que l'hôtesse de l'air vous a montré *le masque à oxygène*?
Oui, elle nous l'a montré.

1. Est-ce que le steward nous servira *le repas*?

   _____

2. Est-ce que le prof t'indiquera *la page*?

   _____

3. Est-ce que Georges m'a donné *ces livres*?

   _____

4. Est-ce que ton cousin t'a envoyé *la lettre*?

   _____

5. Est-ce que mes parents m'achèteront *le billet*?

   _____

CHAPITRE

} 8 } QUIZ A

VOCABULAIRE

Mots 1

A Circle the item in each group that does not belong with the others. (5 pts.)

1. accélérer	doubler	ralentir	rouler vite
2. un camion	une caravane	une jeep	un bouchon
3. une flèche	un panneau	un casque	une carte routière
4. un motard	une bretelle d'accès	une sortie	un poste de péage
5. une contravention	une carte grise	un P.V.	une amende

B Complete each sentence below with the appropriate word(s) from the following list. (5 pts.)

file de voitures   **permis de conduire**
limitation de vitesse   **points noirs**
périphérique

1. On trouve souvent des bouchons aux _____.

2. Quand on est dans une longue _____, on ne roule pas vite.

3. Le boulevard _____ entoure la ville.

4. Quand on roule trop vite on ne respecte pas la _____.

5. En France, il faut avoir 18 ans pour avoir un _____.

CHAPITRE

} 8 } QUIZ B

VOCABULAIRE

Mots 2

A Match each item in the left-hand column with its opposite in the right-hand column. (5 pts.)

1. _____ à droite   **a.** derrière

2. _____ aller tout droit   **b.** à gauche

3. _____ devant   **c.** traverser la rue

4. _____ rester sur le trottoir   **d.** l'automobiliste

5. _____ le piéton   **e.** faire demi-tour

B For each definition below, write the appropriate word(s). (10 pts.)

1. Il est rouge, jaune ou vert. _____

2. C'est un camion spécial qui aide les voitures en panne. _____

3. C'est un bouchon. _____

4. C'est un gendarme. _____

5. C'est ce qu'on fait quand on veut aller à droite ou à gauche. _____

CHAPITRE

} 8 } QUIZ A

STRUCTURE

Le futur des verbes irréguliers

Complete each sentence below with the correct form of the future of the verb in parentheses. (20 pts.)

1. Tous mes amis _____ à la fête sauf Alain. (venir)

2. L'année prochaine tu _____ dix-sept ans. (avoir)

3. À Noël je _____ un nouveau vélo. (recevoir)

4. À Paris vous _____ beaucoup de piétons. (voir)

5. J'_____ ce colis demain. (envoyer)

6. Si tu regardes le plan de la ville, tu _____ trouver la tour Eiffel. (savoir)

7. Vous _____ étudier pour réussir à l'examen. (devoir)

8. Les élèves ne _____ pas faire le devoir. (vouloir)

9. Si nous avons de l'argent, nous _____ aller en France l'été prochain. (pouvoir)

10. Je _____ en retard à la fête. (être)

Nom _____ Date _____

CHAPITRE
} 8 } QUIZ B
STRUCTURE

Le futur après quand

Write sentences in the future tense using the elements below. Follow the model. (10 pts.)

Nous / parler français / quand / nous / être en France
Nous parlerons français quand nous serons en France.

1. Je / s'amuser / quand / je / être à la fête

   _____

2. Quand / Olivier / savoir l'adresse / il / envoyer la lettre

   _____

3. Nous / aller à la plage / quand / il / faire beau

   _____

4. Tu / conduire / quand / tu / avoir seize ans

   _____

5. Quand / les élèves / être en classe / ils / parler au prof

   _____

CHAPITRE
} 8 } QUIZ C
STRUCTURE

Deux pronoms dans la même phrase: le, la, les *avec* lui, leur

▮ Rewrite each sentence below, replacing the words in italics with *le, la,* or *les* and *lui* or *leur.* Follow the model. (5 pts.)

Guy donnera *sa rédaction au prof.*
Guy la lui donnera.

1. Je donnerai *la lettre au facteur.*

   _____

2. Tu as donné *les lettres à l'employé des postes.*

   _____

3. François a écrit *les aérogrammes à ses amis.*

   _____

4. Nous envoyons *les cartes postales à notre professeur.*

   _____

5. L'employée des postes a vendu *le timbre à Mme Dufour.*

   _____

Nom _____ Date _____

CHAPITRE
8 QUIZ D
STRUCTURE

La formation des adverbes

Complete each sentence below with the adverb derived from the adjective in parentheses. (10 pts.)

1. Raoul voyage _____. (fréquent)

2. Joël conduit _____. (prudent)

3. La petite fille parle _____. (poli)

4. L'automobiliste a eu une contravention. _____, il roulait trop vite. (évident)

5. Le boulevard périphérique entoure _____ la ville. (complet)

6. Mon père n'a jamais conduit _____. (dangereux)

7. Tu préfères _____ voir un film d'horreur? (vrai)

8. À la montagne le temps change _____. (rapide)

9. Écoute, je dois te parler _____. (sérieux)

10. — Tu veux sortir avec moi?

    — Oui, _____. (certain)

CHAPITRE

} 9 } QUIZ A

VOCABULAIRE

Mots 1

Complete the paragraph below with the appropriate words from the following list. (10 pts.)

de la lessive	**laverie**	**nettoyer à sec**	**propre**	**sèche-linge**
la lessive	**machine à laver**	**plie**	**sale**	**teinturerie**

Julien a besoin de faire _____, alors il va à la

_____ automatique. Il met le linge _____

dans la _____. Il y met aussi _____. Après, il

met tout dans le _____. Enfin, il _____ le linge

_____. Sa sœur Émilie a beaucoup de vêtements délicats. Elle ne les lave

pas. Elle les fait _____. Elle les porte à la _____.

CHAPITRE

} 9 } QUIZ B

VOCABULAIRE

Mots 2

A Decide which items of clothing each of the people described below would most likely wear and check the appropriate column. (10 pts.)

M. Dupont: travaille dans une banque
Mme Roy: travaille dans un bureau
Lise Deguy: est élève au lycée Henri-IV
David Legrand: est joueur de tennis

	M. Dupont	Mme Roy	Lise	David
1. un blouson en jean				
2. une chemise en coton				
3. un chemisier en soie				
4. un collant				
5. un complet				
6. une cravate				
7. un pull				
8. un short				
9. un tailleur				
10. un tee-shirt				

B For each article of clothing below, circle the fabric or material of which it would most logically be made. (5 pts.)

1. un tee-shirt   coton / laine

2. un pull   jean / tricot

3. une cravate   cuir / soie

4. des chaussures   cuir / jersey

5. une veste   laine / tricot

CHAPITRE

} 9 } QUIZ A

STRUCTURE

Le conditionnel

Complete the following paragraph with the correct form of the conditional of each verb in parentheses. (10 pts.)

Si c'était samedi, je n'_____ (aller) pas à l'école. Mon père ne
  ₁

_____ (travailler) pas. Ma mère _____ (faire)
  ₂   ₃

les courses. Ma sœur _____ (se réveiller) tard. Mes amis et moi, nous
  ₄

_____ (se voir). Éric et Lucie _____ (venir)
  ₅   ₆

chez moi. Nous _____ (écouter) de la musique. Après, nous
  ₇

_____ (vouloir) voir un film. Je _____
  ₈   ₉

(demander) à mon père: «Papa, tu _____ (pouvoir) nous
  ₁₀

emmener au cinéma?»

CHAPITRE
} 9 } QUIZ B
STRUCTURE

Les propositions avec **si**

▊ Complete each sentence below with the correct form of the future or the conditional of the verb in parentheses. (10 pts.)

1. Si j'ai le temps, je _____ la lessive. (faire)

2. Si Laurent parlait espagnol, il _____ en Espagne. (voyager)

3. Je _____ nettoyer ce pull à sec si j'étais toi. (faire)

4. Si nous avions de l'argent, nous _____ à la Martinique. (aller)

5. Je _____ un imper s'il pleut. (porter)

CHAPITRE
} 9 } QUIZ C
STRUCTURE

Faire *et un autre verbe*

A Rewrite each sentence below with *faire* and replace the word in italics with a pronoun. Follow the model. (5 pts.)

Pierre ne lave pas *sa veste* lui-même.
Il la fait laver.

1. Monique ne nettoie pas *sa jupe* à sec elle-même.

   _____

2. Nous ne repassons pas *nos chemises* nous-mêmes.

   _____

3. Je ne construis pas *ma maison* moi-même.

   _____

4. Mes amis ne lavent pas *leur voiture* eux-mêmes.

   _____

5. Tu ne repasses pas *ton complet* toi-même.

   _____

B Use the verb *faire* to write sentences according to the model. (5 pts.)

La prof de musique / nous / chanter en classe
La prof de musique nous fait chanter en classe.

1. Le professeur / nous / répondre aux questions

   _____

2. Mes parents / me / débarrasser la table

   _____

CHAPITRE

}10} QUIZ A

VOCABULAIRE

Mots 1

Circle the letter of the appropriate completion for each sentence. If there is more than one completion, circle more than one letter. (10 pts.)

1. Au métro on peut acheter des tickets _____.
   a. au guichet
   b. au quai
   c. au distributeur automatique

2. On peut monter par _____.
   a. un escalier mécanique
   b. un escalator
   c. un trottoir roulant

3. Si deux lignes se croisent à une station, on peut _____.
   a. changer de ligne
   b. prendre la correspondance
   c. attendre l'autobus

4. Quand on veut dix tickets, on achète _____.
   a. un guichet
   b. un quai
   c. un carnet

5. Le touriste cherche la station de métro _____.
   a. sur le ticket
   b. sur le plan du métro
   c. la plus proche

CHAPITRE
〉10〉 QUIZ B
VOCABULAIRE

Mots 2

■ Choose the best completion for each sentence. (10 pts.)

1. On attend l'autobus à l'_____. (arrêt / appareil)

2. Il faut _____ le ticket dans l'appareil. (oblitérer / pousser)

3. Pour demander un arrêt, on _____ sur le bouton.
   (appuie / descend)

4. Le _____ est le voyage que fait l'autobus d'un terminus à l'autre.
   (dernier arrêt / trajet)

5. On monte dans l'autobus par l'_____. (arrière / avant)

6. On descend de l'autobus par le milieu ou par l'_____.
   (arrêt / arrière)

7. Le terminus est le _____ arrêt. (dernier / prochain)

8. Il est interdit de _____ contre la portière. (s'appuyer / pousser)

9. Il n'est pas poli de _____ les autres passagers. (valider / pousser)

10. C'est le _____ qui conduit l'autobus. (conducteur / pilote)

CHAPITRE
}10} QUIZ A
STRUCTURE

Le pronom en *avec des personnes*

▪ Rewrite the sentences below, replacing the words in italics with either *en* or a stress pronoun, as appropriate. (5 pts.)

1. J'ai deux *sœurs.*

   _____

2. Xavier a beaucoup *de cousins.*

   _____

3. Nous parlons *de notre professeur.*

   _____

4. Est-ce que tu as assez *d'amis?*

   _____

5. Ils ont besoin *de leurs amis.*

   _____

CHAPITRE
}10} QUIZ B
STRUCTURE

Un autre pronom avec **y** *ou* **en**

Rewrite each sentence below, replacing the words in italics with the appropriate pronouns. Follow the model. (12 pts.)

J'ai vu *Janine au musée*.
Je l'y ai vue.

1. J'ai rencontré *mon copain au cinéma*.

   _____

2. Nous avons pris beaucoup *de photos en Afrique*.

   _____

3. Chantal a demandé *de l'argent à son père*.

   _____

4. L'employé t'a vendu deux *billets*.

   _____

5. Il y a un *plan du métro parisien* sur la table.

   _____

6. J'ai trouvé *le ticket dans mon sac*.

   _____

CHAPITRE
}10} QUIZ C
STRUCTURE

Les questions

■ Using both inversion and *est-ce que*, rewrite each question below. (8 pts.)

1. Jean voyage au Japon?

   _____?

   _____?

2. Il a quitté Paris quand?

   _____?

   _____?

3. Elle apprend l'espagnol?

   _____?

   _____?

4. Ils adorent voyager?

   _____?

   _____?

▌10▐ QUIZ D

STRUCTURE

Venir de

Rewrite each sentence below with *venir de*. Follow the model. (5 pts.)

Le métro part.
Le métro vient de partir.

1. Nous achetons un carnet.

   _____

2. André change de ligne.

   _____

3. J'appuie sur le bouton.

   _____

4. Tu prends la correspondance.

   _____

5. La fille oblitère le ticket.

   _____

CHAPITRE
} 11 } QUIZ A

VOCABULAIRE

Mots 1

■ Complete the paragraph below with the appropriate words from the following list. (10 pts.)

applaudit	la fête nationale	notables
défilé	feux d'artifice	soldats
drapeau	l'hymne national	tambours
fanfare		

Le 14 juillet est _____ française. Ce
                                          1

jour-là, on peut regarder un _____ dans la
                                                    2

rue. On voit des _____ qui défilent au pas
                                    3

devant les _____ et les gens dans les tribunes. Une
                              4

_____ joue _____,
                    5   6

«La Marseillaise». Tout le monde _____. On peut
                                                              7

entendre des trompettes, des cymbales et des _____.
                                                                            8

On peut voir aussi le _____ français, qui est bleu,
                                        9

blanc et rouge. Le soir on tire des _____ et tout le
                                                        10

monde danse dans les rues.

CHAPITRE
⟩11⟨ QUIZ B

VOCABULAIRE

Mots 2

▮ Match each sentence in the left-hand column with the item in the right-hand column that it describes. (10 pts.)

1. _____ Le père Noël y met des cadeaux.

2. _____ Elle a lieu à l'église.

3. _____ C'est le repas fait pendant la nuit de Noël et la nuit précédant le jour de l'An.

4. _____ On en envoie et reçoit.

5. _____ On le décore.

6. _____ On en allume huit pendant Hanouka.

7. _____ C'est la fête des Lumières.

8. _____ Le marié le donne à la mariée pendant la cérémonie religieuse.

9. _____ C'est la meilleure amie de la mariée.

10. _____ C'est le chandelier qu'on utilise pendant la fête des Lumières.

a. des bougies

b. Hanouka

c. une menorah

d. l'alliance

e. la demoiselle d'honneur

f. des souliers

g. l'arbre de Noël

h. la cérémonie religieuse de mariage

i. des cartes de vœux

j. le réveillon

CHAPITRE

} 11 } QUIZ A

STRUCTURE

Le subjonctif

■ Complete each sentence below with the correct form of the subjunctive of the verb in parentheses. (10 pts.)

1. Il faut que le conducteur _____ l'autobus prudemment. (conduire)

2. Il faut que les passagers _____ un ticket. (avoir)

3. Il faut que tu _____ à l'heure à l'aérogare. (être)

4. Avant de partir il faut que nous _____ les valises. (faire)

5. Il faut que je _____ tout de suite. (partir)

6. Il faut que le conducteur _____ la portière. (ouvrir)

7. Pour acheter un carnet il faut que vous _____ au guichet. (aller)

8. Il faut que nous _____ le plan du métro. (étudier)

9. Il faut que je _____ la bonne direction. (choisir)

10. Il faut que Paul _____ sa voiture. (vendre)

CHAPITRE
}11} QUIZ B
STRUCTURE

Le subjonctif avec les expressions impersonnelles

For each sentence below, write a new one using the subjunctive. Follow the model. (5 pts.)

Je réussis à l'examen.
Il est important que je réussisse à l'examen.

1. Les élèves font leurs devoirs.

   Il est nécessaire que _____ .

2. Lise a beaucoup d'amis.

   Il est bon que _____ .

3. Tu obéis à tes parents.

   Il vaut mieux que _____ .

4. Je suis toujours à l'heure.

   Il est impossible que _____ .

5. Nous avons une contravention.

   Il est juste que _____ .

CHAPITRE
} 11 } QUIZ C

STRUCTURE

Les nombres au-dessus de 1.000

Write each of the numbers below. (5 pts.)

1. mille trois cent un

   _____

2. quatre mille vingt-cinq

   _____

3. mille neuf cent quatre-vingt quatorze

   _____

4. deux mille un

   _____

5. deux million cinq cent mille

   _____

CHAPITRE

}12} QUIZ A

VOCABULAIRE

Mots 1

A Choose the object(s) from the following list that would most logically be needed in each of the situations below. (10 pts.)

une calculatrice	une gomme
un cartable	une machine à écrire
un dictionnaire	une machine à traitement de texte
un écran	un projecteur
une encyclopédie	un sac à dos

1. Je veux savoir la définition d'un mot. _____

2. Je veux savoir des détails sur la Révolution française. _____

3. Le prof va nous montrer des diapos. _____ et

   _____

4. Il est temps que je fasse mes devoirs de maths. _____

5. J'ai fait une erreur. Il faut que je l'efface. _____

6. Il faut que je fasse une rédaction. _____ ou

   _____

7. Il est nécessaire que je porte mes livres en classe. _____

   ou _____

B Indicate whether the following statements are true or false by writing *vrai* or *faux* in the blank. (5 pts.)

1. La sonnerie annonce le commencement et la fin des cours. _____

2. Il est préférable qu'un élève échoue à un examen. _____

3. Un exposé est un travail oral. _____

4. Il est bon que les élèves soient reçus à un examen. _____

5. On trouve des annonces au panneau d'affichage. _____

CHAPITRE

} 12 } QUIZ B

VOCABULAIRE

Mots 2

A Match each person or thing in the left-hand column with the appropriate location in the right-hand column. (5 pts.)

1. _____ le surveillant   **a.** la cour du lycée

2. _____ la conseillère d'éducation   **b.** la cantine

3. _____ un repas   **c.** le bureau de vie scolaire

4. _____ le documentaliste   **d.** le CDI

5. _____ une lycéenne   **e.** la salle de permanence

B Identify the people or things below. (10 pts.)

1. le directeur du lycée _____

2. l'assistant du directeur _____

3. le jour où les cours recommencent après les grandes vacances _____

   _____

4. l'examen qu'on passe en dernière année de lycée _____

5. le contraire d'*obligatoire* _____

CHAPITRE

}12} QUIZ A

STRUCTURE

D'autres verbes au présent du subjonctif

Complete each sentence below with the correct form of the subjunctive of the verb in parentheses. (10 pts.)

1. Il faut que je _____ l'autobus. (prendre)

2. Il faut que tu _____ avec moi au CDI. (venir)

3. Il est important que je _____ de bonnes notes. (recevoir)

4. Il est nécessaire que les élèves _____ leurs livres scolaires. (acheter)

5. Il n'est pas juste que nous _____ étudier tous les jours. (devoir)

6. Il faut que vous _____ la réponse. (répéter)

7. Il faut que j'_____ mon frère. (appeler)

8. Il faut que Serge _____ le censeur. (voir)

9. Il est bon que nous _____ la leçon. (apprendre)

10. Il est important que vous _____ au cours à l'heure. (venir)

CHAPITRE

}12} QUIZ B

STRUCTURE

Le subjonctif avec des expressions de volonté

Combine each pair of sentences into a single sentence using the subjunctive. Follow the model. (5 pts.)

Papa rentre tôt le soir. J'aime ça.
J'aime que Papa rentre tôt le soir.

1. Nous faisons attention en classe. Le professeur exige ça.

   _____

   _____

2. Tu m'appelles avant huit heures. Je préfère ça.

   _____

   _____

3. L'élève obéit aux règles. Le proviseur insiste pour ça.

   _____

   _____

4. Vous comprenez la situation. Nous voulons ça.

   _____

   _____

5. Je viens avec vous. Désirez-vous ça?

   _____

   _____

CHAPITRE
{ 12 } QUIZ C
STRUCTURE

L'infinitif ou le subjonctif

■ Write complete sentences using the elements below and either the infinitive or subjunctive of the second verb, as appropriate. (10 pts.)

1. Tu veux / recevoir de bonnes notes

    _____

2. Mon père veut / je / faire mes devoirs

    _____

3. Solange souhaite / tu / être reçu au bac

    _____

4. Le professeur préfère / nous / apprendre le vocabulaire

    _____

5. Les élèves aiment mieux / voir un film

    _____

CHAPITRE

}12} QUIZ D

STRUCTURE

Les verbes rire *et* sourire

▰ Complete each sentence below with the correct form of either the present tense or the *passé compose* of the verb in parentheses, as appropropriate. (5 pts.)

1. Je _____ quand je dis bonjour à mes amis. (sourire)

2. Pourquoi _____-vous? (rire)

3. Hier, ces garçons _____ quand nous leur avons dit bonjour. (sourire)

4. Anne-Marie est très sérieuse. Elle ne _____ jamais en classe. (rire)

5. Quand Stéphane a vu le film, il _____ . (rire)

CHAPITRE
}13} QUIZ A
VOCABULAIRE

Mots 1

A Identify the numbered items.

1. _____

2. _____

3. _____

4. _____

5. _____

B Complete each sentence below with one of the following words. (5 pts.)

impoli	partage	resquiller	rompre	se tutoyer

1. Quand on est bien élevé, on n'est jamais _____.

2. Il faut faire la queue. Il ne faut pas _____.

3. On ne coupe pas le pain avec un couteau. Il faut le _____ avec les doigts.

4. En général les jeunes préfèrent _____.

5. Quand chacun paie pour soi, on _____ les frais.

CHAPITRE

}13} QUIZ B

VOCABULAIRE

Mots 2

A Match the expression in the left-hand column with the expression closest in meaning to it in the right-hand column. (5 pts.)

1. _____ être surpris(e)   **a.** être triste

2. _____ être désolé(e)   **b.** être fâché(e)

3. _____ être content(e)   **c.** ne pas avoir confiance

4. _____ être furieux(-se)   **d.** être étonné(e)

5. _____ avoir peur   **e.** être heureux(-se)

B Complete the dialogue below with the appropriate words from the following list. (5 pts.)

connaissance   **connaître**   **enchantée**   **même**   **présente**

—Je vous _____ Monsieur Gaultier.
                    1

—Je suis _____ de faire votre _____.
                    2   3

—Moi de _____, Madame. Je suis content de vous
                    4

_____.
           5

CHAPITRE

}13} QUIZ A

STRUCTURE

Les verbes irréguliers savoir, pouvoir, vouloir *au présent du subjonctif*

■ Complete each sentence below with the correct form of the subjunctive of the verb in parentheses. (10 pts.)

1. Il est important que vous _____ vous servir de l'ordinateur. (savoir)

2. Il est possible que tous les élèves _____ déjeuner à la cantine en même temps. (vouloir)

3. Il est bon que les enfants _____ taper à la machine. (savoir)

4. Il est préférable que vous _____ réussir à l'examen. (pouvoir)

5. Il est possible que tu _____ étudier la géographie l'année prochaine. (vouloir)

6. Le professeur insiste pour que nous _____ faire un exposé. (savoir)

7. Je doute que Pierre _____ voir ce film. (vouloir)

8. Ils veulent que nous _____ partir samedi matin. (pouvoir)

9. Le prof souhaite que tous ses élèves _____ venir au pique-nique demain. (pouvoir)

10. J'insiste pour que tu _____ conduire avant l'été prochain. (savoir)

}13} QUIZ B
STRUCTURE

Le subjonctif après les expressions d'émotion

Combine each pair of sentences into a single sentence. Follow the model. (5 pts.)

Robert ne vient pas à la fête. Je suis triste.
Je suis triste que Robert ne vienne pas à la fête.

1. Les élèves ne savent pas la leçon. Le prof a peur.

   _____

   _____

2. Je fais la vaisselle. Mon père est content.

   _____

   _____

3. Je ne sais pas skier. Mes amies sont surprises.

   _____

   _____

4. Tu pars maintenant. Je suis étonnée.

   _____

   _____

5. Vous ne pouvez pas dîner chez nous. Nous sommes désolés.

   _____

   _____

}13} QUIZ C

STRUCTURE

Le verbe boire

Complete the following paragraph with the correct form of either the present tense or the *passé composé* of the verb *boire,* as appropriate. (10 pts.)

Au petit déjeuner, je _____ toujours du jus d'orange. Mon père

_____ du café. Normalement mes frères _____
      2   3

du lait, mais hier ils _____ de l'eau. De temps en temps nous
                                4

_____ du chocolat chaud.
      5

CHAPITRE

}14} QUIZ A

VOCABULAIRE

Mots 1

■ Circle the item in each group that does not belong with the others. (5 pts.)

1. un minaret	un muezzin	un maroquinier	une mosquée
2. une courgette	une ruelle	une aubergine	un oignon
3. une boutique	un atelier	un souk	un braséro
4. un châle	un couscous	de la semoule de blé	du thé à la menthe
5. l'Algérie	la Tunisie	la Côte-d'Ivoire	le Maroc

Nom _____ Date _____

CHAPITRE
}14} QUIZ B

VOCABULAIRE

Mots 2

■ Match the item in the left-hand column with the item most closely associated with it in the right-hand column. (5 pts.)

1. _____ une palmeraie   **a.** une caravane

2. _____ une croûte de sel   **b.** une dune

3. _____ des chameaux   **c.** une datte

4. _____ du sable   **d.** un chott

5. _____ un palmier   **e.** une oasis

CHAPITRE
}14} QUIZ A
STRUCTURE

Le subjonctif avec les expressions de doute

◼ Complete the sentences below with the correct form of either the subjunctive or the indicative of the verb in parentheses, as appropriate. (10 pts.)

1. Je ne pense pas que tu _____ mon meilleur ami Pierre. (connaître)

2. Je suis sûr que ma mère le _____ (connaître).

3. Il n'est pas évident que Pierre _____ riche. (être)

4. Je ne suis pas sûr qu'il _____ beaucoup d'argent. (avoir)

5. Je crois qu'il _____ de l'argent de ses parents. (recevoir)

6. Il est certain que Pierre _____ des économies. (faire)

7. Je doute qu'il _____ sortir ce week-end. (vouloir)

8. Je ne crois pas que nous _____ au cinéma ce soir. (aller)

9. Ça m'étonnerait que nous _____ regarder la télé ce soir. (pouvoir)

10. Michel est certain que Pierre ne _____ pas chez moi demain. (venir)

CHAPITRE
}14} QUIZ B
STRUCTURE

Les expressions il me semble que *et* il paraît que

Complete the sentences below with the correct form of the subjunctive or the indicative of the verb in parentheses, as appropriate. (5 pts.)

1. Il paraît que le professeur _____ en retard. (être)

2. Il me semble que tu ne _____ pas attention en classe. (faire)

3. Il ne croit pas que vous _____ contents. (être)

4. Je doute que Marie-Christine _____ ce garçon. (connaître)

5. Il me semble que Sandrine ne _____ pas la leçon. (comprendre)

CHAPITRE
}14} QUIZ C
STRUCTURE

L'infinitif après les prépositions

■ Make logical sentences using *avant de, pour,* or *sans* and the elements below. Follow the model. (10 pts.)

Je / étudier / réussir
J'étudie pour réussir.

1. Nous / aller au CDI / faire des recherches

   _____

   _____

2. Il est important / se brosser les dents / se coucher

   _____

   _____

3. Le mauvais élève / faire ses devoirs / regarder son livre

   _____

   _____

4. Je / travailler / gagner de l'argent

   _____

   _____

5. Tout le monde / s'habiller / quitter la maison

   _____

   _____

CHAPITRE
}15} QUIZ A
VOCABULAIRE

Mots 1

A Complete each sentence below with the appropriate word(s). (10 pts.)

1. Une _____ est un bâtiment pour les animaux domestiques.

2. Les chevaux mangent du _____ et de l'_____.

3. Les vaches passent la journée au _____, où elles mangent de l'_____.

4. On cultive les céréales dans un _____ et le raisin dans un _____.

5. À la fin de l'été il faut _____ le blé avec la _____.

6. L'_____ est la production et l'entretien du bétail.

B Match each product in the left-hand column with the corresponding animal or plant in the right-hand column. (5 pts.)

1. _____ les œufs   **a.** le blé

2. _____ le lait   **b.** un mouton

3. _____ le jambon   **c.** une poule

4. _____ la laine   **d.** une vache

5. _____ le pain   **e.** un cochon

Nom _____ Date _____

CHAPITRE
}15} QUIZ B
VOCABULAIRE

Mots 2

A Complete each sentence below with the appropriate word(s). (10 pts.)

matériel agriculteur lever exploitant entrepose

1. Le tracteur fait partie du _____ agricole.

2. Le fermier se lève au _____ du soleil.

3. Le fermier _____ le matériel agricole dans le hangar.

4. Un fermier est un _____ ou un _____.

B Complete the chart below with the missing words. (10 pts.)

animal	cri
1. le cochon	
2.	cocorico
3. le mouton	
4.	cuicui
5. la vache	
6.	hi-han
7. le chat	
8. le chien	
9.	glouglou
10.	coin-coin

CHAPITRE

}15} QUIZ A

STRUCTURE

Le passé du subjonctif

◼ Complete each sentence below with the past subjunctive of the verb in italics. (5 pts.)

1. Tu *as oublié* la fête. Je suis surpris que tu _____ la fête.

2. Monique *est venue* à la fête. Je suis heureuse qu'elle _____ à la fête.

3. Vous *ne vous êtes pas amusés*. Je regrette que vous _____.

4. Martine *est partie* tôt. Je suis triste que Martine _____ tôt.

5. Mon chien *a mangé* le gâteau. Je suis furieux que mon chien _____ le gâteau.

CHAPITRE

}15} QUIZ B

STRUCTURE

Le subjonctif après des conjonctions

Complete each sentence below with either the infinitive or the present subjunctive of the verb in parentheses, as appropriate. (10 pts.)

1. Cet élève recevra de bonnes notes pourvu qu'il _____ ses devoirs. (faire)

2. Je resterai ici jusqu'à ce que tu _____ la leçon. (comprendre)

3. Nous irons au CDI avec vous bien que nous ne _____ pas y aller. (vouloir)

4. Je vais donner ma calculatrice à mon frère pour qu'il _____ faire ses devoirs de maths. (pouvoir)

5. Mireille est entrée sans _____ bonjour. (dire)

6. Nous partirons avant que vous ne _____. (venir)

7. Il est impossible d'être reçu à cet examen à moins que vous n'_____. (étudier)

8. Nous allons étudier pour _____ reçus à l'examen. (être)

9. Le professeur allume le projecteur avant de nous _____ des diapositives. (montrer)

10. J'entre dans la classe sans que le prof me _____. (voir)

CHAPITRE
{16} QUIZ A
VOCABULAIRE

Mots 1

■ Decide where each person below would most logically work and check the appropriate column. (10 pts.)

	au bureau	au magasin	à la mairie	au tribunal	au théâtre
1. une informaticienne					
2. un technicien					
3. un juge					
4. une assistante sociale					
5. un fonctionnaire					
6. une commerçante					
7. un comédien					
8. une avocate					
9. un cadre					
10. une comptable					

CHAPITRE

}16} QUIZ B

VOCABULAIRE

Mots 2

Match each term in the left-hand column with its opposite in the right-hand column. (5 pts.)

1. _____ travailler pour une grosse société

2. _____ à plein temps

3. _____ être au chomage

4. _____ un employé

5. _____ une petite annonce

    a. à mi-temps

    b. un employeur

    c. une demande d'emploi

    d. être à son compte

    e. travailler

CHAPITRE
}16} QUIZ A
STRUCTURE

Le subjonctif dans les propositions relatives

■ Complete the following paragraph with the correct form of the present indicative or the subjunctive of the verb in parentheses, as appropriate. (5 pts.)

Mon ami qui _____ (faire) un voyage au Maghreb cet été cherche un
                         1

guide qui _____ (connaître) bien Tunis. Il a besoin de quelqu'un qui
                    2

_____ (savoir) parler arabe et qui _____ (pouvoir)
              3   4

conduire. J'ai un cousin qui _____ (avoir) cinq ans d'expérience, mais
                                        5

il n'est pas disponible en juillet.

CHAPITRE
〉16〉 QUIZ B
STRUCTURE

Le subjonctif après un superlatif

▰ Choose the correct completion for each sentence. (5 pts.)

1. Georges est le meilleur acteur que je _____.
(connais / connaisse)

2. Rémy a le chien le plus adorable que j'_____.
(ai jamais vu / aie jamais vu)

3. Il n'y a rien qui _____ me surprendre. (peut / puisse)

4. Aimée est la seule fille qui _____ mes problèmes.
(comprend / comprenne)

5. C'est le couscous le plus délicieux que j'_____.
(ai jamais mangé / aie jamais mangé)

CHAPITRE

}16} QUIZ C

STRUCTURE

Le subjonctif comme impératif

A Write commands using the elements below. Follow the model. (4 pts.)

(vous) savoir / le vocabulaire
Sachez le vocabulaire.

1. (vous) être / poli

_____

2. (tu) être / à l'heure

_____

3. (tu) avoir / de la patience

_____

4. (tu) savoir / la réponse

_____

B Write a command for each sentence, replacing the words in italics with the correct pronoun. Follow the model. (6 pts.)

Elle ne lit pas *la demande d'emploi.*
Qu'elle la lise!

1. Il ne fait pas *son travail.*

_____

2. Elle n'apprend pas *la géométrie.*

_____

3. Ils ne vont pas *au bureau.*

_____

4. Elle ne vient pas *au tribunal.*

_____

ANSWER KEY

CHAPITRE 1

VOCABULAIRE

QUIZ A: *Mots 1*

 A
1. un timbre
2. un bureau de poste (la poste)
3. un distributeur automatique
4. une boîte aux lettres
5. un guichet (des guichets)

B
1. un (le) facteur
2. un(e) (l') employé(e) des postes
3. un (l') aérogramme
4. une (l') enveloppe
5. une carte postale

QUIZ B: *Mots 2*

A
1. le destinataire
2. le numéro
3. la rue
4. le code postal
5. la ville

B
1. d
2. e
3. b
4. c
5. a

STRUCTURE

QUIZ A: *Les pronoms relatifs* qui *et* que

A
1. qui
2. que
3. qui
4. que
5. qui

B
1. Je lis les aérogrammes que Michel écrit.
2. J'ai acheté des timbres qui sont très beaux.
3. Martine envoie un paquet qui pèse un kilo.
4. L'employé me donne les timbres que je choisis.
5. J'entends le vélomoteur que le facteur conduit.

QUIZ B: *L'accord du participe passé*

1. e
2. —
3. s
4. —
5. es

QUIZ C: *Les changements d'orthographe avec les verbes comme* envoyer, employer *et* payer

A
1. envoie
2. payons
3. envoient
4. emploies
5. envoie
6. employez
7. paie
8. payez

B
1. pas logique
2. logique
3. logique
4. pas logique

CHAPITRE 2

VOCABULAIRE

QUIZ A: *Mots 1*

A
1. a
2. e
3. b
4. c
5. d

B
1. le couvert
2. à table
3. la table
4. l'évier
5. le lave-vaisselle

QUIZ B: *Mots 2*

A
1. usine
2. contremaître, ouvriers
3. jouets
4. bureau

B 2, 5, 1, 4, 3

STRUCTURE

QUIZ A: *Le verbe* s'asseoir

1. m'assieds
2. s'assied
3. s'asseyent
4. nous asseyons
5. vous asseyez

QUIZ B: *Les actions réciproques au présent*

1. Juliette et Roméo s'aiment.
2. L'ouvrière et la contremaîtresse se parlent.
3. Vous vous écrivez.
4. Nous nous téléphonons.
5. Nous nous adorons.

QUIZ C: *Le passé composé des verbes réfléchis*

1. nous nous sommes réveillé(e)s à six heures
2. nous ne nous sommes pas levé(e)s tard
3. Marie (elle) s'est dépêchée
4. elle ne s'est pas mise à table
5. Jacques et Henri (ils) se sont peignés
6. ils ne se sont pas rasés
7. je me suis amusé(e) à la fête
8. elles ne se sont pas couchées tôt
9. tu t'es maquillée dans ta chambre
10. vous vous êtes levé(e)(s) avant six heures

QUIZ D: *Les actions réciproques au passé*

1. se sont vus
2. se sont parlé
3. se sont écoutés
4. se sont écrit
5. se sont regardés

QUIZ E: *Expressions négatives au passé composé*

1. Je n'ai jamais visité l'Afrique.
2. Je n'ai rien acheté au magasin.
3. Je n'ai vu personne hier.
4. Je n'ai plus fait de ski après mon accident.
5. Je n'ai pas parlé au professeur en classe.

CHAPITRE

VOCABULAIRE

QUIZ A: *Mots 1*

 1. une télécarte
2. un téléphone à touches
3. un annuaire
4. une cabine téléphonique (un téléphone public)
5. un numéro de téléphone

 1. fil
2. cabine téléphonique
3. télécarte
4. décroche

5. attends la tonalité
6. compose le numéro
7. sonne occupé
8. raccroche

QUIZ B: *Mots 2*

1. un jeton
2. la part
3. regrette
4. sonne
5. quittez
6. désolé
7. laisser
8. Allô
9. bon
10. Pourrais-je

STRUCTURE

QUIZ A: *L'imparfait*

1. obéissait
2. allais
3. lisions
4. téléphonait
5. mangeais
6. attendaient
7. étiez
8. faisions
9. avais
10. s'amusaient

QUIZ B: *Les emplois de l'imparfait*

1. sortait
2. avait
3. était
4. était
5. était
6. voulait
7. rentrait
8. faisait
9. pensait
10. attendaient

QUIZ C: *L'infinitif des verbes réfléchis*

1. Nous aimons nous parler au téléphone.
2. Je veux me réveiller à sept heures.
3. Yves va se brosser les dents.
4. Ces petits garçons détestent se laver.
5. Vous allez vous habiller rapidement.

VOCABULAIRE

QUIZ A: *Mots 1*

A
1. voiture-restaurant
2. voiture gril-express
3. tablette rabattable
4. poinçonne
5. grave

B
1. b
2. c
3. e
4. a
5. d

QUIZ B: *Mots 2*

1. banlieue
2. grandes
3. queue
4. rate
5. châteaux
6. correspondance
7. fourgon
8. louer
9. tableau
10. quai

STRUCTURE

QUIZ A: *L'imparfait et le passé composé*

A
1. jouaient, ont joué
2. sommes allés, allions
3. allait, est allé
4. partait, est parti
5. écrivais, ai écrit

B
1. se levait
2. sommes allé(e)s
3. est arrivé
4. j'ai visité
5. mangeait

QUIZ B: *Deux actions au passé dans la même phrase*

1. Je lisais un livre quand Marc est arrivé.
2. Ma sœur faisait ses devoirs quand Maman est sortie.
3. Le téléphone a sonné quand Papa dormait.
4. Nous faisions la queue quand le train est parti.
5. Janine lisait un magazine quand le professeur lui a posé une question.

QUIZ C: **Personne ne...** *et* **rien ne...**

1. Personne n'attendait le train.
2. Rien n'est tombé du fourgon.
3. Rien n'est arrivé.
4. Personne n'a raté le train.
5. Rien ne se passe.

VOCABULAIRE

QUIZ A: *Mots 1*

A
1. une queue de cheval
2. une natte
3. les cheveux en brosse
4. une frange
5. des pattes

B
1. mise-en-plis
2. bouclés, frisés, raides
3. mi-longs

QUIZ B: *Mots 2*

A
1. e
2. a
3. c
4. b
5. d

B
1. chez le coiffeur
2. chez le coiffeur
3. produits de beauté
4. produits pour les cheveux
5. produits pour les cheveux
6. produits de beauté
7. chez le coiffeur
8. produits pour les cheveux
9. produits de beauté
10. produits de beauté

STRUCTURE

QUIZ A: *Les pronoms interrogatifs et démonstratifs*

A
1. a
2. d
3. c
4. b
5. a

1. celui de
2. celui qui
3. celles de
4. Celle qui
5. celle que

QUIZ B: *Le pluriel en -x*

 1. animaux
2. rouleaux
3. journaux
4. châteaux
5. cheveux

QUIZ C: *Les expressions de temps*

 1. Marie emploie du mascara depuis deux ans.
2. Marc a les cheveux en brosse depuis septembre.

 Answers will vary but the verbs must be in the present tense: *je fais, j'habite.*

CHAPITRE
} 6 }

VOCABULAIRE

QUIZ A: *Mots 1*

 1. le bras
2. la jambe
3. la cheville
4. le doigt de pied
5. des points de suture

 1. est tombé
2. s'est cassé la jambe
3. un brancard
4. soigné
5. des béquilles

QUIZ B: *Mots 2*

 1. e
2. b
3. a
4. c
5. d

 3, 1, 5, 2, 4

STRUCTURE

QUIZ A: *Des pronoms interrogatifs et relatifs*

 1. Qu'est-ce que
2. Qu'est-ce qui
3. Qu'est-ce qui
4. Qu'est-ce que
5. Qu'est-ce qui

 1. ce que
2. ce que
3. ce qui
4. ce que
5. ce qui

QUIZ B: *Les verbes* suivre *et* vivre

 1. suivez
2. suivons
3. avons suivi
4. vit
5. a vécu
6. suit
7. suis
8. vivent
9. vis
10. vis

QUIZ C: *Les pronoms avec l'impératif*

 1. Regardez-la.
2. Ne le remplissez pas.
3. Téléphone-lui.
4. Écoute-les.
5. Ne leur parlez pas.

 1. moi
2. me

 1. Attends ta sœur.
2. Lavez-vous bien.
3. Asseyons-nous ici.
4. Ne te dépêche pas.

QUIZ D: Mieux/Meilleur

 1. Marie joue mieux au tennis qu'Yves.
2. Caroline est meilleure en anglais que Christine.
3. Les filles sont meilleures en biologie que les garçons.
4. Robert chante mieux que Renée.
5. Martin est meilleur en informatique que Gabrielle.

B 1. le meilleur
2. le mieux
3. la meilleure
4. les meilleurs
5. le mieux

CHAPITRE
} 7 }

VOCABULAIRE

QUIZ A: *Mots 1*

 A 1. une ceinture de sécurité
2. un oreiller
3. un siège réglable
4. une tablette rabattable
5. une sortie (issue) de secours

 B 1. faux
2. faux
3. vrai
4. vrai
5. faux

QUIZ B: *Mots 2*

1. embarquer
2. débarquer
3. annulé
4. prend
5. aérogare
6. autocar
7. escale
8. récupère
9. tapis roulant
10. chariot à bagages

STRUCTURE

QUIZ A: *Le futur des verbes réguliers*

 1. passera
2. attendrai
3. atterrira
4. réussirai
5. répondras
6. travailleras
7. finirons
8. regarderont
9. vendrez
10. demanderont

QUIZ B: *Les verbes* être, faire *et* aller *au futur*

 1. fera
2. serai
3. iras
4. iront
5. seras
6. serez
7. feront
8. serons
9. ferai
10. ira

QUIZ C: *Deux pronoms dans la même phrase*

 1. Oui, il nous (vous) le servira.
2. Oui, il me l'indiquera.
3. Oui, il te (vous) les a donnés.
4. Oui, il me l'a envoyée.
5. Oui, ils te (vous) l'achèteront.

CHAPITRE
} 8 }

VOCABULAIRE

QUIZ A: *Mots 1*

 A 1. ralentir
2. un bouchon
3. un casque
4. un motard
5. une carte grise

 B 1. points noirs
2. file de voitures
3. périphérique
4. limitation de vitesse
5. permis de conduire

QUIZ B: *Mots 2*

 A 1. b
2. e
3. a
4. c
5. d

 B 1. un feu
2. une dépanneuse
3. un embouteillage
4. un agent de police
5. tourner (On tourne.)

STRUCTURE

QUIZ A: *Le futur des verbes irréguliers*

1. viendront
2. auras
3. recevrai
4. verrez
5. enverrai
6. sauras
7. devrez
8. voudront
9. pourrons
10. serai

QUIZ B: *Le futur après quand*

1. Je m'amuserai quand je serai à la fête.
2. Quand Olivier saura l'adresse, il enverra la lettre.
3. Nous irons à la plage quand il fera beau.
4. Tu conduiras quand tu auras seize ans.
5. Quand les élèves seront en classe, ils parleront au prof.

QUIZ C: *Deux pronoms dans la même phrase:* le, la, les *avec* lui, leur

1. Je la lui donnerai.
2. Tu les lui as données.
3. François les leur a écrits.
4. Nous les lui envoyons.
5. L'employée des postes le lui a vendu.

QUIZ D: *La formation des adverbes*

1. fréquemment
2. prudemment
3. poliment
4. Évidemment
5. complètement
6. dangereusement
7. vraiment
8. rapidement
9. sérieusement
10. certainement

CHAPITRE

VOCABULAIRE

QUIZ A: *Mots 1*

1. la lessive
2. laverie
3. sale
4. machine à laver
5. de la lessive
6. sèche-linge
7. plie
8. propre
9. nettoyer à sec
10. teinturerie

QUIZ B: *Mots 2*

 A
1. Lise
2. M. Dupont
3. Mme Roy
4. Mme Roy
5. M. Dupont
6. M. Dupont
7. Lise (David)
8. David
9. Mme Roy
10. David (Lise)

B
1. coton
2. tricot
3. soie
4. cuir
5. laine

STRUCTURE

QUIZ A: *Le conditionnel*

1. irais
2. travaillerait
3. ferait
4. se réveillerait
5. nous verrions
6. viendraient
7. écouterions
8. voudrions
9. demanderais
10. pourrais

QUIZ B: *Les propositions avec* si

1. ferai
2. voyagerait
3. ferais
4. irions
5. porterai

QUIZ C: Faire *et un autre verbe*

 A
1. Elle la fait nettoyer à sec.
2. Nous les faisons repasser.
3. Je la fais construire.
4. Ils la font laver.
5. Tu le fais repasser.

B 1. Le professeur nous fait répondre aux questions.
2. Mes parents me font débarrasser la table.

CHAPITRE
{10}

VOCABULAIRE

QUIZ A: *Mots 1*

1. a, c
2. a, b
3. a, b
4. c
5. b, c

QUIZ B: *Mots 2*

1. arrêt
2. oblitérer
3. appuie
4. trajet
5. avant
6. arrière
7. dernier
8. s'appuyer
9. pousser
10. conducteur

STRUCTURE

QUIZ A: *Le pronom* en *avec des personnes*

1. J'en ai deux.
2. Xavier en a beaucoup.
3. Nous parlons de lui.
4. Est-ce que tu en as assez?
5. Ils ont besoin d'eux.

QUIZ B: *Un autre pronom avec* y *ou* en

1. Je l'y ai rencontré.
2. Nous y en avons beaucoup pris.
3. Chantal lui en a demandé.
4. L'employé t'en a vendu deux.
5. Il y en a un sur la table.
6. Je l'y ai trouvé.

QUIZ C: *Les questions*

 (*Answers may be in any order.*)
1. Est-ce que Jean voyage au Japon?
   Jean voyage-t-il au Japon?
2. Quand est-ce qu'il a quitté Paris?
   Quand a-t-il quitté Paris?
3. Est-ce qu'elle apprend l'espagnol?
   Apprend-elle l'espagnol?
4. Est-ce qu'ils adorent voyager?
   Adorent-ils voyager?

QUIZ D: Venir de

1. Nous venons d'acheter un carnet.
2. André vient de changer de ligne.
3. Je viens d'appuyer sur le bouton.
4. Tu viens de prendre la correspondance.
5. La fille vient d'oblitérer le ticket.

CHAPITRE
{11}

VOCABULAIRE

QUIZ A: *Mots 1*

1. la fête nationale
2. défilé
3. soldats
4. notables
5. fanfare
6. l'hymne national
7. applaudit
8. tambours
9. drapeau
10. feux d'artifice

QUIZ B: *Mots 2*

1. f
2. h
3. j
4. i
5. g
6. a
7. b
8. d
9. e
10. c

STRUCTURE

QUIZ A: *Le subjonctif*

1. conduise
2. aient
3. sois
4. fassions
5. parte
6. ouvre
7. alliez
8. étudiions
9. choisisse
10. vende

QUIZ B: *Le subjonctif avec les expressions impersonnelles*

1. Il est nécessaire que les élèves fassent leurs devoirs.
2. Il est bon que Lise ait beaucoup d'amis.
3. Il vaut mieux que tu obéisses à tes parents.
4. Il est impossible que je sois toujours à l'heure.
5. Il est juste que nous ayons une contravention.

QUIZ C: *Les nombres au-dessus de 1.000*

1. 1 301 (1.301)
2. 4 025 (4.025)
3. 1 994 (1.994)
4. 2 001 (2.001)
5. 2 500 000 (2.500.000)

CHAPITRE

VOCABULAIRE

QUIZ A: *Mots 1*

A
1. un dictionnaire
2. une encyclopédie
3. un écran, un projecteur
4. une calculatrice
5. une gomme
6. une machine à écrire, une machine à traitement de texte
7. un cartable, un sac à dos

B
1. vrai
2. faux
3. vrai
4. vrai
5. vrai

QUIZ B: *Mots 2*

A
1. e
2. c
3. b
4. d
5. a

B
1. le proviseur
2. le censeur
3. la rentrée
4. le bac(calauréat) (bachot)
5. facultatif

STRUCTURE

QUIZ A: *D'autres verbes au présent du subjonctif*

1. prenne
2. viennes
3. reçoive
4. achètent
5. devions
6. répétiez
7. appelle
8. voie
9. apprenions
10. veniez

QUIZ B: *Le subjonctif avec des expressions de volonté*

1. Le professeur exige que nous fassions attention en classe.
2. Je préfère que tu m'appelles avant huit heures.
3. Le proviseur insiste pour que l'élève obéisse aux règles.
4. Nous voulons que vous compreniez la situation.
5. Désirez-vous que je vienne avec vous?

QUIZ C: *L'infinitif ou le subjonctif*

1. Tu veux recevoir de bonnes notes.
2. Mon père veut que je fasse mes devoirs.
3. Solange souhaite que tu sois reçu au bac.
4. Le professeur préfère que nous apprenions le vocabulaire.
5. Les élèves aiment mieux voir un film.

QUIZ D: *Les verbes* rire *et* sourire

1. souris
2. riez
3. ont souri
4. rit
5. a ri

CHAPITRE 13

VOCABULAIRE

QUIZ A: *Mots 1*

A
1. l'avant-bras
2. le pouce
3. la joue
4. le poignet
5. le coude

B
1. impoli
2. resquiller
3. rompre
4. se tutoyer
5. partage

QUIZ B: *Mots 2*

A
1. d
2. a
3. e
4. b
5. c

B
1. présente
2. enchantée
3. connaissance
4. même
5. connaître

STRUCTURE

QUIZ A: *Les verbes irréguliers* savoir, pouvoir, vouloir *au présent du subjonctif*

1. sachiez
2. veuillent
3. sachent
4. puissiez
5. veuilles
6. sachions
7. veuille
8. puissions
9. puissent
10. saches

QUIZ B: *Le subjonctif après les expressions d'émotion*

1. Le prof a peur que les élèves ne sachent pas la leçon.
2. Mon père est content que je fasse la vaisselle.
3. Mes amies sont surprises que je ne sache pas skier.

4. Je suis étonnée que tu partes maintenant.
5. Nous sommes désolés que vous ne puissiez pas dîner chez nous.

QUIZ C: *Le verbe* boire

1. bois
2. boit
3. boivent
4. ont bu
5. buvons

CHAPITRE 14

VOCABULAIRE

QUIZ A: *Mots 1*

1. un maroquinier
2. une ruelle
3. un braséro
4. un châle
5. la Côte-d'Ivoire

QUIZ B: *Mots 2*

1. e
2. d
3. a
4. b
5. c

STRUCTURE

QUIZ A: *Le subjonctif avec les expressions de doute*

1. connaisses
2. connaît
3. soit
4. ait
5. reçoit
6. fait
7. veuille
8. allions
9. puissions
10. vient (viendra)

QUIZ B: *Les expressions* il me semble que *et* il paraît que

1. est
2. fais
3. soyez
4. connaisse
5. comprend

QUIZ C: *L'infinitif après les prépositions*

1. Nous allons au CDI pour faire des recherches.
2. Il est important de se brosser les dents avant de se coucher.
3. Le mauvais élève fait ses devoirs sans regarder son livre.
4. Je travaille pour gagner de l'argent.
5. Tout le monde s'habille avant de quitter la maison.

CHAPITRE

VOCABULAIRE

QUIZ A: *Mots 1*

1. étable
2. foin, avoine
3. pré, herbe
4. champ, vignoble
5. récolter, moissonneuse-batteuse
6. élevage

1. c
2. d
3. e
4. b
5. a

QUIZ B: *Mots 2*

1. matériel
2. lever
3. entrepose
4. agriculteur, exploitant

1. groin groin
2. le coq
3. bê
4. l'oiseau
5. meuh
6. l'âne
7. miaou
8. wa wa
9. le dindon
10. le canard

STRUCTURE

QUIZ A: *Le passé du subjonctif*

1. aies oublié
2. soit venue
3. ne vous soyez pas amusés
4. soit partie
5. ait mangé

QUIZ B: *Le subjonctif après des conjonctions*

1. fasse
2. comprennes
3. voulions
4. puisse
5. dire
6. veniez
7. étudiiez
8. être
9. montrer
10. voie

CHAPITRE

VOCABULAIRE

QUIZ A: *Mots 1*

1. au bureau
2. au théâtre
3. au tribunal
4. à la mairie
5. à la mairie (au bureau)
6. au magasin
7. au théâtre
8. au tribunal
9. au bureau
10. au bureau

QUIZ B: *Mots 2*

1. d
2. a
3. e
4. b
5. c

STRUCTURE

QUIZ A: *Le subjonctif dans les propositions relatives*

1. fait
2. connaisse
3. sache
4. puisse
5. a

QUIZ B: *Le subjonctif après un superlatif*

1. connaisse
2. aie jamais vu
3. puisse
4. comprenne
5. aie jamais mangé

QUIZ C: *Le subjonctif comme impératif*

 A
1. Soyez poli(s).
2. Sois à l'heure.
3. Aie de la patience.
4. Sache la réponse.

 B
1. Qu'il le fasse.
2. Qu'elle l'apprenne.
3. Qu'ils y aillent.
4. Qu'elle y vienne.

Notes

Notes

Notes

Notes

Notes